Schott Piano Classics

T0286420

Friedrich Burgmüller
1806 – 1874

12 brillante und melodische Etüden

12 Brilliant and Melodious Studies
12 Études brillantes et mélodiques

für Klavier
for Piano
pour piano

opus 105

Herausgegeben von / Edited by / Éditées par
Monika Twelsiek

ED 174
ISMN 979-001-03111-0

www.schott-music.com

Mainz · London · Berlin · Madrid · New York · Paris · Prague · Tokyo · Toronto
© 2018 SCHOTT MUSIC GmbH & Co. KG, Mainz · Printed in Germany

Vorwort

Friedrich (Frédéric) Burgmüller wurde 1806 in Regensburg geboren. Er wuchs in Düsseldorf auf, wo sein Vater August Burgmüller die renommierte Stelle als Städtischer Musikdirektor innehatte. Nach dem Tod des Vaters bewarb sich Friedrich vergeblich um die Nachfolge und verließ – im Alter von zwanzig Jahren – enttäuscht Düsseldorf, um nach Basel zu ziehen, wo er als Cellist und Pianist und als Musiklehrer wirkte. 1834 wandte er sich nach Paris und unterrichtete dort – sehr erfolgreich und zu stattlichen Honoraren – zahlreiche Schülerinnen und Schüler, darunter angeblich sogar die Kinder des Bürgerkönigs Louis Philippe. Ab 1855 zog sich Burgmüller auf seinen Sommersitz in Beaulieu bei Fontainebleau zurück und starb dort – unverheiratet – im Jahre 1874.

Obwohl sehr publicityscheu und immer ein wenig im Schatten seines begabten jüngeren Bruders Norbert, hatte Friedrich Burgmüller als Komponist durchaus ernsthafte Ambitionen. Er schrieb unter anderem Werke für Cello und Klavier, Lieder, eine Ballettmusik und hatte großen Erfolg mit den „Rêveries fantastiques" op. 41, die er Liszt zueignete, und die von Robert Schumann gelobt wurden.

Unsterblich jedoch wurde er durch seine pädagogischen Werke: die drei Etüdensammlungen op. 100, op. 105 und op. 109 für Klavier, unter denen die Etüden op. 100 mit ihrer weltweiten Popularität einen besonderen Stellenwert einnehmen. Die 12 „brillanten und melodischen Etüden" op. 105 sind in ihrer Synthese von klarer technischer Zielsetzung und poetischer Idee ebenso reizvoll, in ihren technischen und interpretatorischen Anforderungen jedoch weit anspruchsvoller. Sie wenden sich an fortgeschrittene Schülerinnen und Schüler.

Die französische Ausgabe von 1861 trägt den Titel:
12/Études/brillantes et mélodiques/pour/le Piano/dédiées à Monsieur/D.F.E. Auber/Membre de l'Institut/Directeur du Conservatoire Imp. de Musique de Paris/par/ Fréd. Burgmüller/op. 105.

Daniel-François-Esprit Auber, langjähriger Leiter des Pariser Conservatoire, dem Burgmüller die Etüden op. 105 gewidmet hat, wurde besonders durch seine Opern-Kompositionen berühmt, und tatsächlich tragen einige Etüden (z.B. die Nrn. 7, 11 und 12) in ihrer formalen Konzeption, in ihrer Klangfülle und Dramatik opernhafte Züge.
Bemerkenswert sind die – original französischen – poetischen Titel der frühen Ausgabe, die in späteren Drucken fehlen, hier aber übernommen wurden, weil sie die Fantasie anregen und wertvolle Hinweise zur Interpretation geben.
Es finden sich:
• Ausdrucksbezeichnungen wie „dramatisch" (Nr. 2), „zauberhaft" (Nr. 3), „heroisch" (Nr. 12)
• Stimmungen: „Ekstase", „Freude" (Nrn. 8 und 9)
• Romantische „Settings": „An einem Brunnen" (Nr. 6), „Abendstunde" (Nr. 7)
• Emotional aufgeladene konkrete Bilder: „Die Tränen" (Nr. 10), „Irrlicht" (Nr. 5)
• Nachahmung von Klängen: „Frühlingsgesang" (Nr. 1), „Die Glocke" (Nr. 4), „Keltische Harfe" (Nr. 11)

Die Reihenfolge der Werke – auch sie wurde später geändert – folgt ebenfalls der Ausgabe von 1861.

In ihrem technischen Anspruch gehen die Etüden op. 105 über die Anforderungen der Werke op. 100 und op. 109 weit hinaus. Souveränes Oktav- und Akkordspiel, eine brillante Lauftechnik, die Fähigkeit zur gestalterischen – agogisch-dynamischen – Differenzierung und eine sensible Pedaltechnik sind Voraussetzung einer gelungenen Interpretation. Auffällig ist, dass alle technischen Fertigkeiten in beiden Händen gleichwertig entwickelt werden.

Wie in den Etüden op. 100 und op. 109 offenbart sich auch in Burgmüllers Etüden op. 105 ein klares technisch-pädagogisches Konzept. Hier eine Übersicht der „technischen" Themen der einzelnen Werke:

Nr. 1 Frühlingsgesang: Große Arpeggien
Nr. 2 Die Dramatische: Staccato, Zweistimmigkeit in einer Hand, Akkord-Repetitionen
Nr. 3 Die Zauberhafte: Chromatik
Nr. 4 Die Glocke: Zweistimmigkeit in einer Hand, gebrochene Oktaven
Nr. 5 Irrlicht: Leggiero staccato, kurze Vorschläge
Nr. 6 An einem Brunnen: Akkordbrechungen
Nr. 7 Abendstunde: Repetitionen, Arpeggien, Tremoli, Rotationsfiguren
Nr. 8 Ekstase: Oktav-Doppelgriff-Kombinationen
Nr. 9 Freude: Oktav-Repetitionen
Nr. 10 Die Tränen: Ablösen der Hände, leichter Daumen, kantables Doppelgriff-Spiel
Nr. 11 Keltische Harfe: Tremoli, Zweistimmigkeit in einer Hand
Nr. 12 Die Heroische: Sprünge, leichte Figuren mit Lagenwechsel, Triller, Arpeggien

Alle Etüden eignen sich als Pedalstudien. Beide Aspekte – poetische Idee und technische Aufgabe – klar zu erfassen, im Idealfall aber zusammen zu sehen und auseinander zu entwickeln, ist Aufgabe einer gelingenden Interpretation. In ihrer klassischen Ausgewogenheit von durchdachtem pädagogischem Konzept und fantasievoller künstlerischer Anregung tragen Burgmüllers Etüden in faszinierender Weise dazu bei, dass „Technik" im kreativen Zusammenspiel von Geist, Seele, Körper und Instrument als künstlerische Aussage gelingt.

Monika Twelsiek

Preface

Friedrich (Frédéric) Burgmüller was born in Regensburg in 1806. He grew up in Düsseldorf, where his father August Burgmüller held the prestigious position of Civic Director of Music. After his father's death, Friedrich applied unsuccessfully to succeed him in the post; then aged twenty, he left Düsseldorf in disappointment and moved to Basel, where he worked as a cellist, pianist and music teacher. In 1834 Friedrich moved to Paris, where he established himself as a very successful teacher charging substantial fees: his many pupils are even said to have included the children of King Louis Philippe. From 1855 Burgmüller retired to his summer residence in Beaulieu near Fontainebleau, where he died – unmarried – in 1874.

Although very shy of publicity and always somewhat overshadowed by his gifted younger brother Norbert, Friedrich Burgmüller had serious ambitions as a composer. He wrote works for cello and piano, songs, ballet music and the highly successful "Rêveries fantastiques" Op. 41, which he dedicated to Liszt and which were praised by Robert Schumann.

His lasting legacy, however, was the music he wrote for teaching purposes: three collections of studies for piano, Op. 100, Op. 105 and Op. 109. The Op. 100 Studies are particularly well known and have become popular worldwide. The twelve 'impressive and tuneful studies' in Op. 105 offer an equally delightful synthesis of clear technical objectives and poetic inspiration, though they are far more demanding in terms of technique and interpretative skill and aimed at advanced students.

The French edition of 1861 bears the title:
12/Études/brillantes et mélodiques/pour/le Piano/dédiées à Monsieur/D.F.E. Auber/Membre de l'Institut/Directeur du Conservatoire Imp. de Musique de Paris/par/ Fréd. Burgmüller/op. 105.

Burgmüller's Studies Op. 105 were dedicated to Daniel-François-Esprit Auber, for many years Director of the Paris Conservatoire and famous for his operatic compositions; indeed, some of the studies (e.g. nos. 7, 11 and 12) feature operatic structures, dynamics and dramatic range.
Notably poetic titles – originally in French – used in the early edition but not in later editions have been reinstated here to stimulate the imagination and provide valuable guidance to interpretation. These include:
- Expressive markings such as 'dramatic' (No. 2), 'magical' (No. 3), 'heroic' (No. 12)
- Emotional states such as 'ecstasy' and 'joy' (Nos. 8 and 9)
- Romantic settings: 'By a Fountain' (No. 6), 'In the Evening' (No. 7)
- Emotionally charged images: 'Tears' (No. 10), 'Will o' the Wisp' (No. 5)
- Imitation of sounds: 'Spring Song' (No. 1), 'The Bell' (No. 4), 'Celtic Harp' (No. 11)

The sequence of pieces – which was subsequently changed, too – is also based on the 1861 edition.

Technical demands in these Studies Op. 105 are far above the level required to play pieces in Op. 100 and Op. 109. Mastery of playing in octaves, chords, impressive fingering technique at speed, the ability to achieve expressive phrasing with subtle variations in tempo, dynamic contrasts and sensitive pedalling are all essential to successful interpretation. A notable feature here is that all these technical skills have to be developed to the same extent in both hands.

As in the Studies Op. 100 and Op. 109, Burgmüller's Studies Op. 105 reflect clear aims in terms of teaching technique. Here is an overview of the technical focus of individual studies:

No. 1 Spring Song: extended arpeggios
No. 2 Dramatic Study: playing staccato, two parts in one hand, repeated chords
No. 3 Magical Study: chromaticism
No. 4 The Bell: playing two parts in one hand, broken octaves
No. 5 Will o' the Wisp: leggiero staccato, short grace notes
No. 6 By a Fountain: broken chords
No. 7 In the Evening: repeated notes, arpeggios, tremoli, figures using rotation
No. 8 Ecstasy: octave double-stopping combinations
No. 9 Joy: repeated octaves
No. 10 Tears: changing hands, gentle use of the thumb, cantabile double-stopping
No. 11 Celtic Harp: tremolo, playing two parts in one hand
No. 12 Heroic Study: leaps, simple figures with position changes, trills, arpeggios

All these studies can be played as pedal exercises, too. Understanding both aspects – poetic inspiration and technical challenge – and ideally managing to combine the two, having worked on each separately – is the key to a successful interpretation. Presenting imaginative artistic ideas with a consistent teaching approach in classical equilibrium, these Studies by Burgmüller offer a fascinating contribution to developing 'technique' as a creative interaction of the mind, spirit, body and instrument in the achievement of artistic expression.

Monika Twelsiek
Translation Julia Rushworth

Préface

Né à Ratisbonne en 1806, Friedrich (Frédéric) Burgmüller grandit à Düsseldorf où son père, August Burgmüller, occupait l'éminent poste de chef de la musique municipale. Après la mort de ce dernier, Friedrich candidata en vain à sa succession et déçu, quitta Düsseldorf à l'âge de 20 ans pour s'installer à Bâle où il exerça en tant que violoncelliste, pianiste et professeur de musique. En 1834, il se tourna vers Paris où il enseigna – avec beaucoup de succès et pour des honoraires considérables – à de nombreux élèves parmi lesquels pourraient avoir compté les enfants du roi citoyen Louis Philippe. À partir de 1855, Burgmüller se retira dans sa résidence d'été de Beaulieu, près de Fontainebleau, où il mourut en 1874, sans s'être jamais marié.

Bien que fuyant la publicité et toujours un peu dans l'ombre de son talentueux frère cadet Norbert, Friedrich Burgmüller avait des ambitions sérieuses en tant que compositeur. Il écrivit notamment des œuvres pour violoncelle et piano, des lieder, une musique de ballet, et connut un grand succès avec ses « Rêveries fantastiques » op. 41 dédiées à Liszt dont Robert Schumann fit les louanges.

Cependant, ce sont ses œuvres pédagogiques qui lui permettront de passer à la postérité : les trois recueils d'études pour piano op. 100, 105 et 109, parmi lesquelles les études op. 100, populaires dans le monde entier, occupent une place particulière. Alliant objectifs techniques clairement établis et pensée poétique, les 12 « Études brillantes et mélodiques » op. 105 sont tout aussi charmantes et à la fois beaucoup plus exigeantes, tant sur le plan technique que sur celui de l'interprétation. Elles s'adressent aux élèves de niveau avancé.

L'édition française de 1861 porte le titre suivant:
12/Études/brillantes et mélodiques/pour/le Piano/dédiées à Monsieur/D.F.E. Auber/Membre de l'Institut/Directeur du Conservatoire Imp. de Musique de Paris/par/ Fréd. Burgmüller/op. 105.

Longtemps directeur du conservatoire de Paris, le dédicataire des études op. 105 de Burgmüller, Daniel-François-Esprit Auber, fut particulièrement célébré pour ses œuvres lyriques. Et en effet, de par leur conception formelle, leur plénitude sonore et leur intensité dramatique, certaines des études (par ex. les nos 7, 11, 12) présentent des caractéristiques lyriques.
Absents dans les éditions ultérieures, les titres poétiques de cette édition ancienne, – en français dans l'original –, sont remarquables et ont été repris ici parce qu'ils stimulent l'imagination et donnent de précieuses indications pour l'interprétation.
On y trouve:
• des indications expressives telles que « dramatique » (no 2), « enchanteresse » (no 3), « héroïque » (no 12),
• des atmosphères : « extase », « allégresse » (nos 8 et 9),
• des décors romantiques: « Près d'une fontaine » (no 6), « L'Heure du Soir » (no 7),
• des images chargées d'émotion: « Les Larmes » (no 10), « Feu follet » (no 5),
• et l'imitation de sons: « Chant du printemps » (no 1), « Campanella » (no 4), « Harpe du Nord » (no 11).

L'ordre des œuvres telles qu'elles sont présentées ici est aussi celui de l'édition de 1861 – qui fut également modifié par la suite.

Du point de vue technique, les exigences des études op. 105 vont bien au-delà de celles des opus 100 et 109. Jeu par accords et jeu en octaves parfaitement maîtrisés, technique brillante dans l'exécution des traits, conception différenciée – agogique et dynamique –, et subtilité de la technique de pédale sont les conditions nécessaires à une une interprétation réussie. Il apparaît clairement que toutes les compétences techniques des deux mains doivent être développées avec la même acuité.

Comme les études op. 100 et op. 109, les études op. 105 de Burgmüller témoignent d'un concept technique et pédagogique clairement défini. Voici un aperçu des « thèmes techniques » abordés dans chacune des œuvres :

N° 1 Chant du Printemps : grands arpèges,
N° 2 La Dramatique : staccato, deux voix à la même main, accords répétés,
N° 3 L'Enchanteresse : chromatismes,
N° 4 La Campanella : deux voix à la même main, octaves brisées,
N° 5 Feu Follet : leggiero staccato, appoggiatures brèves,
N° 6 Près d'une Fontaine : accords brisés,
N° 7 L'Heure du soir : répétitions, arpèges, trémolos, rotations,
N° 8 Extase : combinaisons de jeu en octaves et de doubles notes,
N° 9 Allegrezza : octaves répétées,
N° 10 Les Larmes : alternance des mains, légèreté du pouce, doubles notes chantantes,
N° 11 Harpe du Nord : trémolos, deux voix à la même main,
N° 12 L'Héroïque : sauts, figures simples avec changement de position, trilles, arpèges.

Toutes les études peuvent être utilisées comme études de pédale. Une interprétation réussie appré-hendera clairement ces deux aspects – idée poétique et objectif technique –, idéalement en les conce-vant comme un tout, mais en les développant séparément. De par leur équilibre classique entre concept pédagogique réfléchi et inspiration artistique pleine d'imagination, les études de Burgmüller contribuent de manière fascinante à la réussite d'une interaction créative de l'esprit, de l'âme, du corps et de l'instrument.

Monika Twelsiek
Traduction : Michaëla Rubi

Inhalt / Contents / Contenu

12 brillante und melodische Etüden op. 105

Chant du printemps

Frühlingsgesang / Spring Song

Friedrich Burgmüller
1806–1874

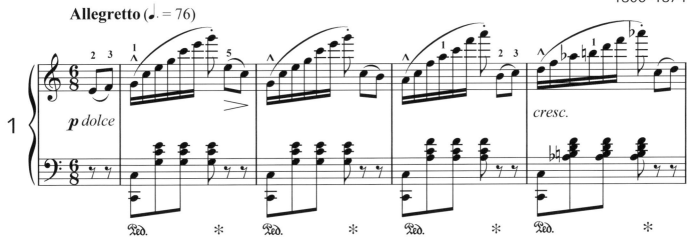

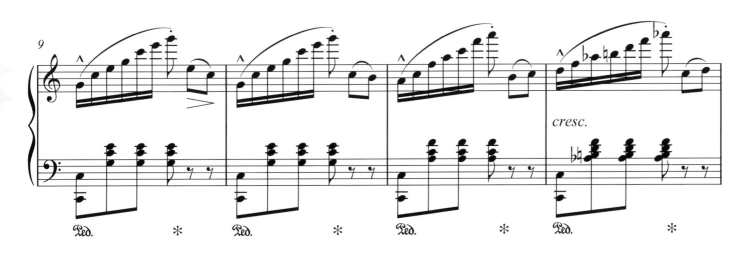

La dramatique
Die Dramatische / Dramatic Study

Allegro agitato (♩ = 168)

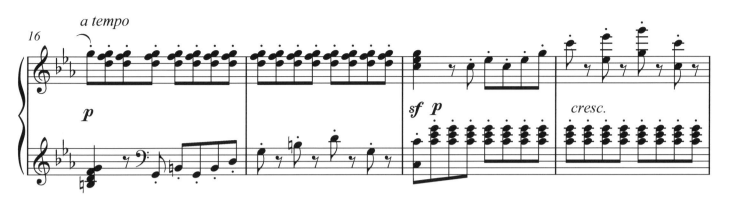

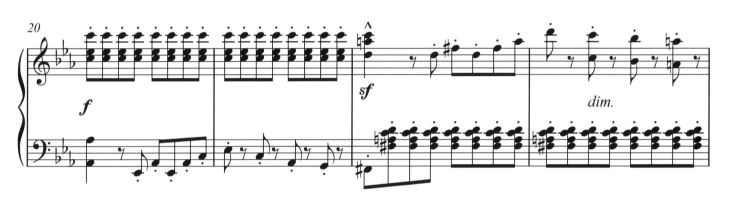

14

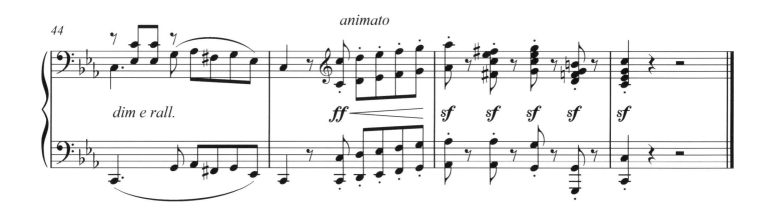

L'enchanteresse
Die Zauberhafte / Magical Study

La campanella
Die Glocke / The Bell

Feu follet
Irrlicht / Will o' the Wisp

Près d'une fontaine
An einem Brunnen / By a Fountain

L'heure du soir
Abendstunde / In the Evening

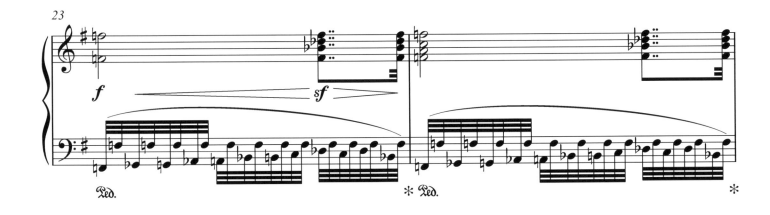

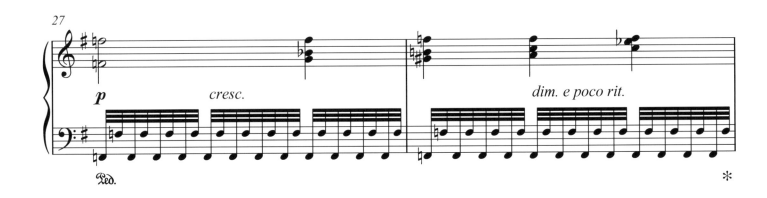

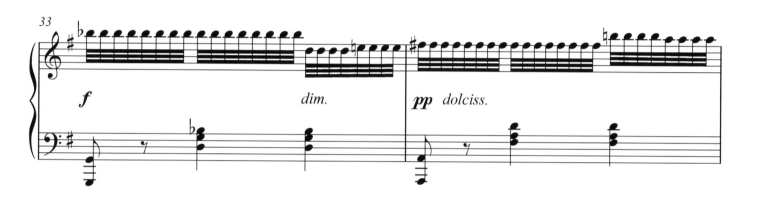

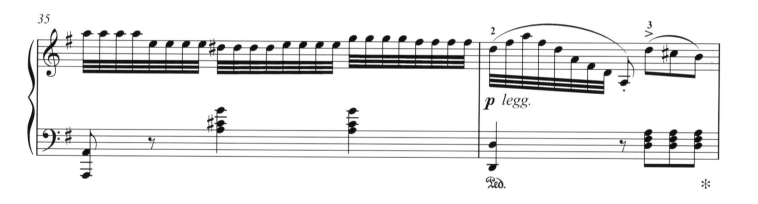

32

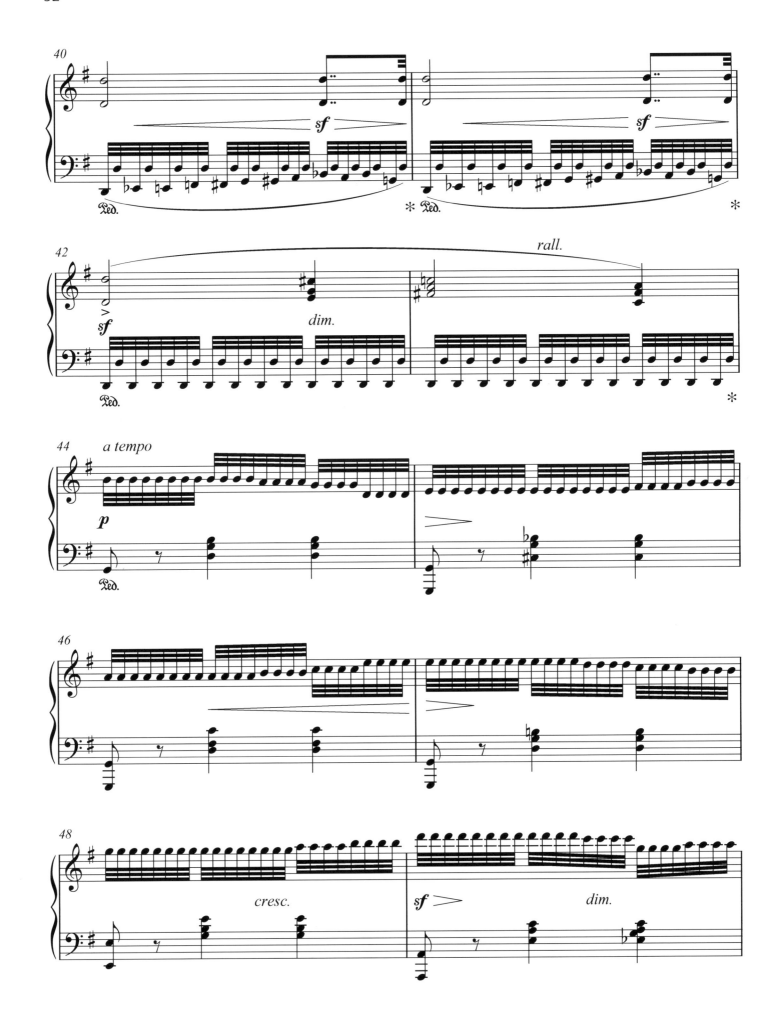

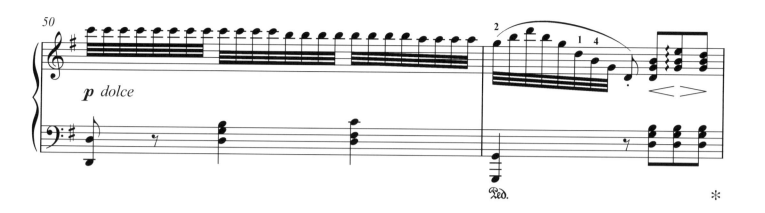

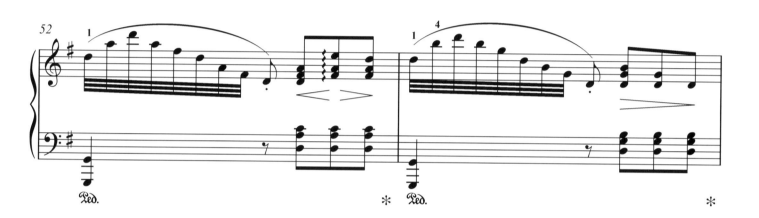

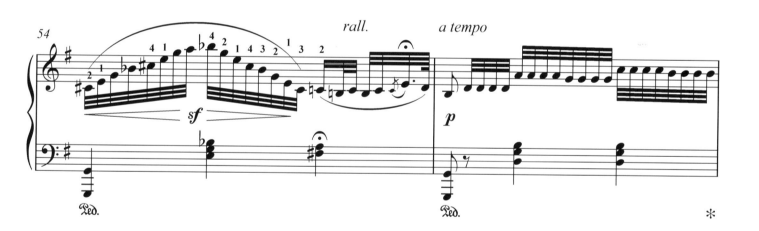

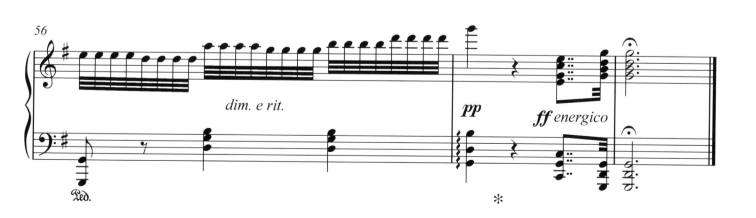

Extase
Ekstase / Ecstasy

Allegrezza
Freude / Joy

Allegro non troppo ($\quad$ = 88)

Les larmes
Die Tränen / Tears

Harpe du nord
Keltische Harfe / Celtic Harp

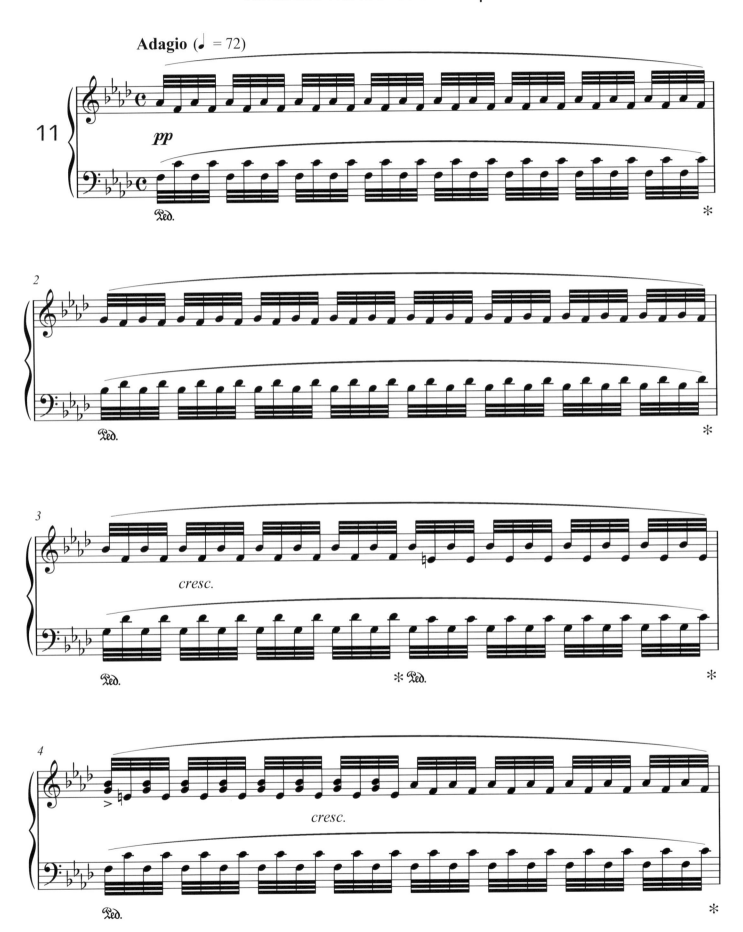

L'héroïque

Die Heroische / Heroic Study

48

50